D0528602

À mon frère,
L.G.

À mes enfants,
Jeremiah, Jessica, Jonathan
et Justin.
E.S.G.

Traduit par Chantal de Fleurieu

Édition originale parue sous le titre :
« The seven Ravens »
aux Éditions HarperCollins, USA
Licence d'édition HarperCollins
© 1994 Laura Geringer pour le texte
© 1994 Edward S. Gazsi pour les illustrations
© 1996 Calligram pour la traduction
© 2001 Épigones pour la présente édition
Tous droits réservés
ISBN : 2-7366-6067-6

PETITE BIBLIOTHÈQUE ILLUSTRÉE

Les Sept Corbeaux

Un conte de Grimm
Raconté par Laura Geringer
Illustré par Edward S. Gazsi

épigones

Il était une fois une petite fille
aussi belle que le soleil est
chaud, aussi courageuse que la lune est froide,
aussi douce et fidèle que les étoiles
sont brillantes. Ses parents l'adoraient.
Pourtant, en grandissant, elle comprit
qu'ils n'étaient pas heureux.
Le matin, sa mère chantait en brossant
les longs cheveux de sa fille, mais ses chansons
étaient tristes. Le soir, son père riait
en la soulevant au-dessus de sa tête,
mais elle apercevait des ombres dans ses yeux.

Un jour, alors qu'elle cherchait sa balle sous le lit de ses parents, la petite fille y découvrit sept boîtes poussiéreuses. Elle les ouvrit et trouva dans chacune, soigneusement pliée, une chemise délicatement brodée aux motifs du soleil, de la lune, et des étoiles. Le travail était si fin que ce ne pouvait être que l'œuvre de sa mère.
Ce soir-là, pour dîner, la fillette mit la plus petite des chemises, espérant faire apparaître un sourire sur le visage de sa mère. Mais lorsqu'elle la vit, celle-ci se couvrit le visage de ses mains et son père se mit à pleurer.
– Tes pauvres frères, sanglotaient-ils, tes pauvres frères !
Alors, ses parents parlèrent à la petite fille du temps où ils avaient sept garçons vigoureux, chacun plus beau que celui qui le précédait.

– Peu après ta naissance, raconta sa mère, tu es tombée malade, si malade que nous avons eu peur de te perdre. Nous avons demandé aux garçons de te laisser reposer. Mais un jour, en jouant, ils t'ont réveillée d'un profond sommeil. Alors, fou de rage, ton père a crié :
– Je voudrais que vous deveniez tous corbeaux et que vous disparaissiez loin d'ici !

Aussitôt dit, aussitôt fait : Sept oiseaux aussi noirs que la nuit se sont mis à tourner autour de toi. Le plus grand a plongé et saisi ton hochet dans son bec avant de reprendre son vol, les autres à sa suite.
– Ils ont disparu dans le pâle ciel bleu, acheva son père. Et pendant qu'il parlait, la fillette compta sept ombres noires au fond de ses yeux.

– Je les trouverai, promit-elle en posant la tête sur l'épaule de son père. Je les ramèneraià la maison.
– Ce qui est fait est fait, soupira-t-il en secouant la tête.
Et les ombres dans ses yeux semblèrent se répandre à travers la maison et envahir chaque fente et chaque recoin.
Cette nuit-là, la petite fille ne dormit pas. Elle avait été sauvée autrefois, mais ses frères avaient disparu. C'était comme s'ils étaient morts à sa place.
« Si je pouvais les ramener, pensait-elle, si seulement je pouvais les ramener, mes parents seraient si heureux.»
Elle imaginait sa mère riant et ouvrant les bras pour les accueillir. Elle imaginait les larmes de joie de son père étreignant chacun de ses fils, puis la serrant longuement dans ses bras.

Juste avant l'aube, la petite fille se leva et, ne prenant qu'une miche de pain, une cruche d'eau et un tabouret de bois, elle partit par le vaste monde à la recherche de ses frères. Par-dessus sa propre chemise, elle portait les sept chemises aux motifs du soleil, de la lune et des étoiles.
« J'irai jusqu'au bout du ciel bleu, pensa-t-elle, et quand j'arriverai au soleil, il me dira s'il a vu mes frères.»
Elle marcha droit devant elle à travers les champs blonds, les buissons et les ronces, à travers les prairies où paissaient les troupeaux, jusqu'à ce qu'elle arrive à une rivière sombre au bord de laquelle poussait une herbe épaisse. Elle avait très chaud et très envie d'ôter au moins une des chemises.
Mais elle continua à marcher.

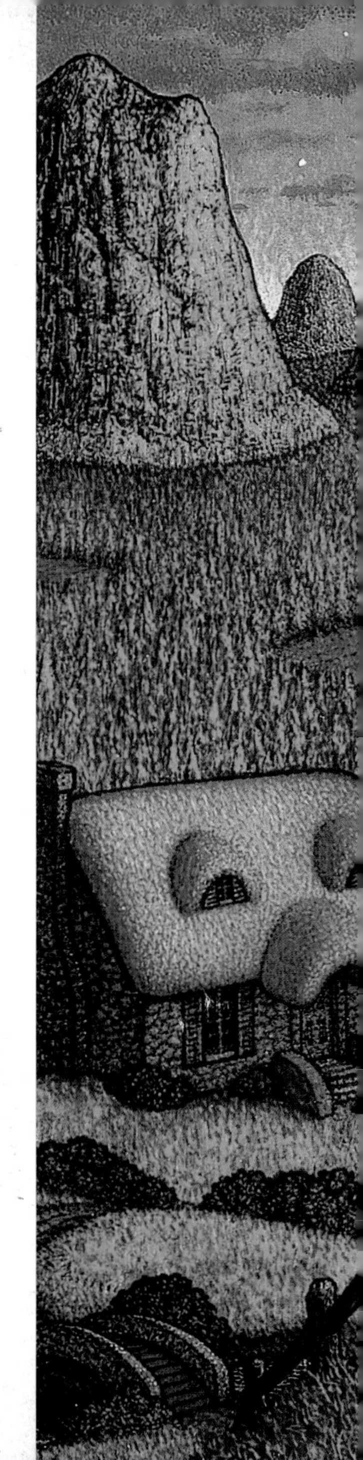

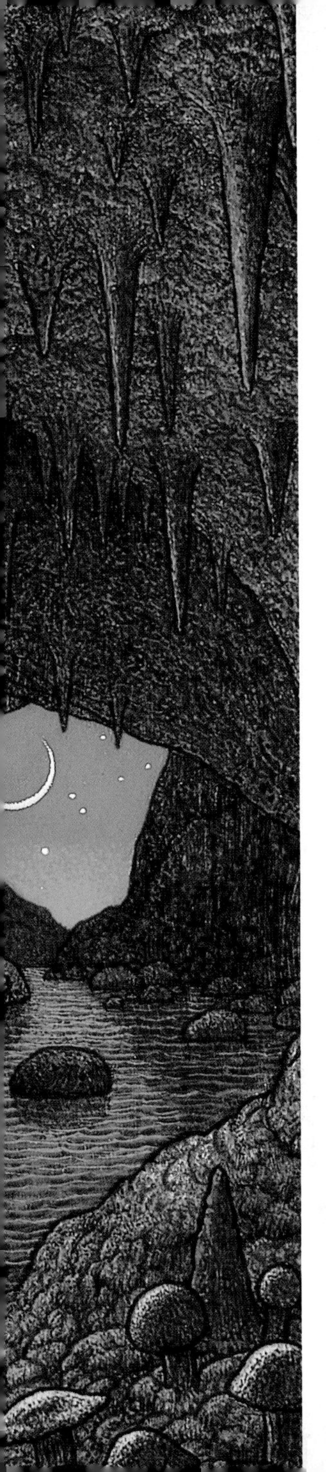

Elle suivit la rivière jusqu'à une grotte fraîche et tapissée de mousse où elle installa son tabouret pour se reposer.
« Si je reste ici, pensa-t-elle, il va pleuvoir et l'eau en montant me recouvrira petit à petit.»
Soudain, elle se sentit seule au monde, et elle eut peur. Ses parents étaient loin. Elle détacha un petit morceau de pain, le mangea lentement, et se vit rentrant à la maison, ses sept frères à ses côtés. Elle ferma les yeux, essayant d'imaginer à quoi les sept garçons pouvaient ressembler, tous plus âgés qu'elle, chacun plus grand et plus fort que le suivant. Mais plus elle essayait, plus c'était difficile et, épuisée par l'effort, elle s'endormit.
À son réveil, la rivière semblait noire dans la lumière pâlissante et elle s'assit, inquiète. Elle avait perdu trop de temps. Elle but un peu d'eau de sa cruche, rassembla ses affaires et quitta la grotte.

– Oh ! s'écria-t-elle, effrayée.
Sur une pierre, se tenait un garçon rondouillard qui la regardait fixement. Son visage était éclairé par le soleil et ses oreilles brillaient bizarrement comme de grands coquillages roses.
– Soleil, oh soleil, s'exclama la petite fille, avez-vous vu mes frères ?
Le garçon bâilla et secoua la tête.
La fillette s'approcha et supplia :
– Il faut que je trouve mes frères pour les ramener à la maison.
– Tu es une jolie petite fille, dit-il, mais ne t'approche pas trop près.
Alors il pointa son doigt comme une torche sur la manche gauche de la chemise du frère aîné, et une brûlure apparut à l'endroit exact où sa mère avait cousu un soleil.
– C'est vrai, je suis le soleil, ajouta-t-il.
Prends garde à toi ou je te réduirai en cendres.
La petite fille hurla et s'enfuit aussi vite qu'elle le put vers les bois où la fraîcheur des arbres calma les battements de son cœur.

Soudain, alors que le crépuscule faisait place à la nuit, elle entendit un carillon lointain. Dans l'obscurité, elle devina la forme d'une grande femme qui venait vers elle, portant dans les bras une chèvre mince comme un croissant de lune. Elle était suivie d'une longue file de moutons dont les cloches tintaient doucement.
L'enfant s'accroupit et attendit que la bergère passe à sa hauteur. Une lueur blanche et froide filtrait du sentier à travers les arbres.
La femme s'arrêta, les plis de sa robe noire ondoyant autour d'elle.
La chèvre fixa ses yeux sur la fillette qui frissonna, glacée tout à coup.

– Lune, oh lune, avez-vous vu mes frères ? appela-t-elle.

La bergère secoua la tête et passa comme une ombre.

La petite fille se leva à sa suite.

– Tu es courageuse, petite fille,
mais ne t'approche pas trop, bêla la chèvre
blanche.
Et, la frappant de son sabot, elle déchira
la manche droite de la chemise du frère aîné,
à l'endroit exact où sa mère avait cousu la lune.
– C'est vrai, je suis la lune, ajouta-t-elle d'une
voix perçante. Je suis la lune, je suis la lune,
je suis la lune, et sa voix grêle se mêlait
au tintement des cloches, faiblissant
à mesure que s'éloignait la bergère.

Tristement, la petite fille ôta la chemise déchirée de son grand frère et la serra contre elle.
– Je ne te trouverai jamais maintenant, soupira-t-elle découragée, en caressant les broderies du doigt.
Le soleil jadis cousu par sa mère était brûlé de part en part, et la lune était bien déchirée, mais il y avait juste au-dessous une rangée d'étoiles qui semblèrent scintiller faiblement lorsqu'elle les effleura.

Elle leva les yeux sur le ciel sombre. Elle n'y vit pas la moindre étoile mais appela quand même :
– Etoiles, oh étoiles, avez-vous vu mes frères ?
– Oui, répondit quelqu'un.
La fillette scruta l'obscurité, et là, à deux pas, elle découvrit un nain qui creusait la terre avec acharnement à l'aide d'une longue pelle. Il portait sur la tête une étrange couronne constellée de pierreries.
– Ah, le voici, s'écria-t-il en brandissant un éclat de verre aussi effilé qu'une aiguille. Tiens, ajouta-t-il, ce n'est qu'une arête, mais elle te sera peut-être utile.
– Je n'avais encore jamais vu d'arête de verre dit l'enfant en la prenant.
Ne sachant que faire du cadeau, elle le piqua dans la chemise de son frère aîné au-dessous du cœur, à l'endroit exact où sa mère avait cousu la plus grande étoile.

Alors elle raconta au nain l'histoire de ses parents, de son voyage en quête de ses sept frères, et de ses rencontres décourageantes avec le soleil et la lune. Le nain dit doucement :
– Tu dois beaucoup aimer les tiens pour être venue jusqu'ici.
La petite fille acquiesça.
– Tes frères ont de la chance d'avoir une sœur si belle, si courageuse et si fidèle, reprit le nain en lui effleurant l'épaule.
– Mais où sont-ils ? supplia-t-elle.
C'est à peine si elle entendit la réponse car elle fut soudain aspirée en l'air, très haut, plus haut que les plus grands arbres, toujours plus haut vers le ciel.
– Ils vivent dans la Montagne de Verre, cria le nain, et sa voix semblait venir de très loin.
– Et où est-ce, s'exclama-t-elle ?
– Au bout du monde, lui parvint faiblement la réponse.

Prise de vertige, l'enfant ferma les yeux et se laissa tournoyer dans l'immensité obscure. Lorsqu'elle les réouvrit, elle se trouvait dans une immense pièce bleue tapissée de miroirs. L'endroit était glacial et nu, à l'exception de sept chaises autour d'une table.
Elle frissonna et chercha où se cacher, mais tout était en cristal excepté sa cruche, son tabouret et un vieux hochet de bébé accroché à la poignée de la porte.
– C'est le mien, murmura-t-elle.
Et elle se souvint des paroles de son père : « Ce qui est fait est fait.» Elle avait rejoint ses sept frères à la Montagne de Verre, mais pourrait-elle les ramener ?
Tremblante, l'enfant ôta les chemises de ses frères et les disposa sur le dossier des chaises. Mais elle garda celle qui était brûlée et déchirée et la défroissa tendrement de ses mains. Puis elle se blottit derrière son tabouret et attendit.

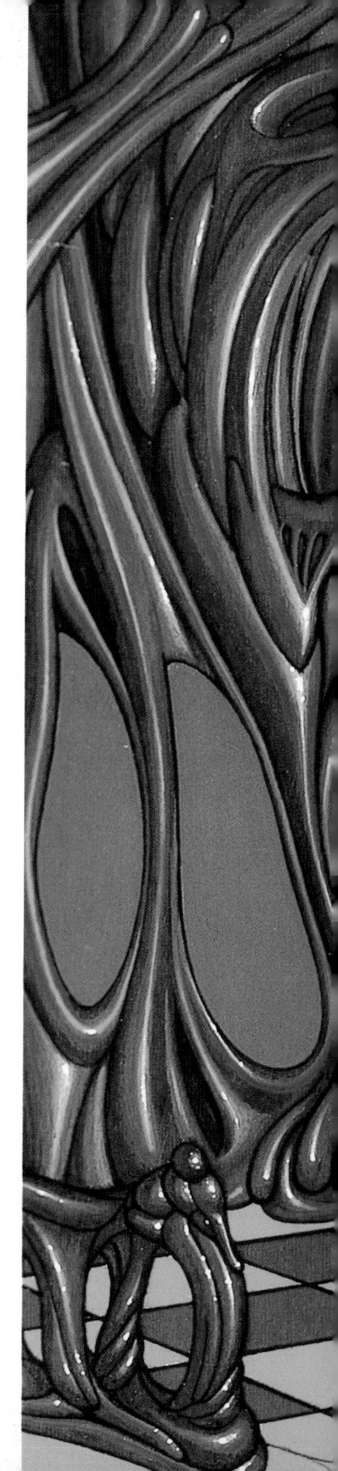

Peu après, un roulement de tonnerre se fit entendre et la pièce devint obscure. À l'aveuglette, elle se pelotonna au milieu d'un tourbillon d'ombres noires. Puis elle entrevit les silhouettes de six fiers corbeaux noirs aux plumes brillantes. Ils parlaient tous ensemble, puis brusquement ils se turent à la vue des chemises.

– Les chemises que Maman nous a faites, dit l'un.

– Pour nous protéger, dit un autre.

– Il y a bien longtemps, ajouta le plus jeune, je m'en souviens !

Alors il saisit sa chemise dans son bec et l'enfila : aussitôt ses ailes se transformèrent en bras, ses plumes tombèrent, et il redevint un garçon ! Tous firent de même et reprirent ainsi leur apparence de garçon.

Leur petite sœur bondit hors de sa cachette et courut les embrasser. Mais soudain, elle pâlit.

– Vous n'êtes que six ! s'écria-t-elle.

À cet instant, le frère aîné entra en boîtant, traînant ses ailes. La gauche était brûlée, la droite cassée et tordue. Juste au-dessous de son cœur, une goutte de sang perlait d'une blessure de la taille d'une piqûre d'épingle. Il trébucha mais se figea en voyant sa sœur et tous ses frères redevenus garçons. La fillette tira vivement de sous son tabouret la miche de pain et la cruche d'eau.

– Mange et bois, ordonna-t-elle, et le corbeau obéit.

Elle prit l'éclat de verre que lui avait donné le nain, défit l'ourlet de sa propre chemise et raccommoda les manches de son frère avec le fil.

À peine avait-elle fini que les ailes du corbeau reprirent leur aspect habituel.

Doucement, sa sœur embrassa la blessure sous son cœur.

– Merci, dit-il. Puis il la déposa délicatement sur son dos.

Il alla ensuite décrocher de la porte son hochet de bébé et le rapporta triomphalement dans son bec.
Ses frères grimpèrent à leur tour sur son dos, et ils s'élevèrent haut au-dessus de la Montagne de Verre dans le ciel du matin. Comme un nuage, la malédiction de leur père s'évanouit. Le soleil se levait et la lune n'avait pas encore disparu. La petite fille retint sa respiration, elle n'avait jamais rien vu de pareil.

Ils volèrent ainsi à travers nuages et brouillards aussi loin que le ciel est bleu. Comme le soir allait tomber, ils atterrirent dans une prairie à l'orée du village de leurs parents.
Là, l'aîné des frères enfila sa chemise et redevint lui aussi un garçon.
– Nous sommes huit maintenant, dit-il en souriant.
Alors, enfin réunis, ils tournèrent le dos aux ombres et prirent le chemin de la maison.

PETITE BIBLIOTHÈQUE ILLUSTRÉE

Dès 3 ans

N° 1 *Hello, Mamie Rose !*
Warren Ludwig
N° 2 *Le Chat et le Coq*
Yvan Malkovych et Kost' Lavro
N° 3 *La Petite Poule rouge*
Max Velthuijs